ROBERT SCHU

OVERTURE TO GOETHE'S HERMANN AND DOROTHEA
OUVERTURE ZU GOETHE'S HERMANN UND DOROTHEA

Op. 136

Edited by/Herausgegeben von
Armin Koch

Ernst Eulenburg Ltd

London · Mainz · Madrid · New York · Paris · Prague · Tokyo · Toronto · Zürich

CONTENTS

Critical edition based on
Robert Schumann. New Edition of the Complete Works
Volume I/3
© 2013 Schott Music, Mainz
RSA 1010, ISMN 979-0-001-15592-2
Reprinted by permission

© 2014 Ernst Eulenburg & Co GmbH, Mainz
for Europe excluding the British Isles
Ernst Eulenburg Ltd, London
for all other countries

Ernst Eulenburg Ltd
48 Great Marlborough Street
London W1F 7BB

PREFACE

Robert Schumann composed altogether nine complete works for orchestra with the title 'overture'. On his own initiative most of these were also performed and published independently or were at least destined for performance and publication. The majority specifically feature in the title an extra-musical subject or a musical reference. Special cases constitute the early attempt *Ouverture et Chor* of 1822/23 (*RSW* Appendix I9, not published by Schumann) and the *Ouverture, Scherzo und Finale* Op.52. The latter is the only overture without specific external reference.

Three of the overtures are connected with larger works: the opera *Genoveva* Op.81, *Manfred* Op.115, referred to by Schumann as a 'Dramatic Poem', together with the *Scenen aus Goethes Faust* ['Scenes from Goethe's Faust'] (WoO 3, posthumously published). The composer himself had also had the overtures for *Genoveva* (originated in 1847, published in 1850) and *Manfred* (originated in 1848, published in 1852) published and performed as autonomous works, both of which he had composed in advance of the rest of each respective work. In this regard there are no specific references for the *Faust-Scenen* overture, the last section of that work to be composed. Three further overtures composed within merely a year are handed down without reference to a larger work – as is also the *Fest-Ouverture mit Gesang über das Rheinweinlied* ['Festival Overture with Song on the Rhine Wine Lied'] Op.123 – and are thus to be viewed purely as concert overtures. Two of them preceded, in fact, deliberations for composing an opera or *Liederspiel* (*Ouverture zur Braut von Messina von Fr. v. Schiller* ['Overture to the Bride of Messina by Fr. v. Schiller'] Op.100, composed at the end of 1850/start of 1851, published in 1851, and *Ouverture zu Goethes Hermann und Dorothea* ['Overture to Goethe's *Hermann and Dorothea*'], composed at the end of 1851, published posthumously as Op.136). No other kinds of musical sources are known, however, to supplement the overtures. For the *Ouverture zu Shakespeares Julius Cäsar* ['Overture to Shakespeare's Julius Caesar'] Op.128 (composed in spring 1851, published in 1854/55) no such deliberations are documented. The *Rheinweinlied* overture differs categorically from the other overtures since it – composed as a Festival Overture for the Lower Rhenish Musical Festival in 1853 – belongs to another genre.

A diary entry of Clara Schumann's about her husband stems from the period when the overture to the *Braut von Messina* was composed:[1] 'The idea to write overtures to several of the most beautiful tragedies had so excited him that his genius again overflowed with music.' In the so-called *Düsseldorfer Merkbuch*, Schumann recorded besides a longer series of tragedies, also – as he wrote in a letter[2] – a list for a 'cycle of overtures':[3] as numbers 1–4 are those to *Genoveva, Braut von Messina, Julius Cäsar* and *Manfred*. Limiting the subject of the 'cycle' to tragedies was never explicitly suggested, and hence Schumann could later add as number 5 the overture to *Hermann und Dorothea*. The plan though was not realised.

On the Present Work

Johann Wolfgang von Goethe's epic *Hermann und Dorothea* held for Robert Schumann a great fascination. According to his 'reading' notes begun at the start of 1845, he had by this time

---

[1] Berthold Litzmann, *Clara Schumann. Ein Künstlerleben. Nach Tagebüchern und Briefen*, Vol.II: *Ehejahre 1840–1856* (Leipzig ,⁶1920), 259

[2] Schumann's letter to C.F.Peters, 24 March 1851, Heinrich-Heine-Institut, Düsseldorf; Accessions-No.: *91.5045/1.* Schumann's correspondence with Peters is published in: *Briefwechsel Robert und Clara Schumanns mit Leipziger Verlegern III*, eds. Petra Dießner, Irmgard Knechtges-Obrecht and Thomas Synofzik (Cologne, 2008: *Schumann Briefedition*, III/3).

[3] *Robert Schumann. Düsseldorfer Merkbuch*, Robert-Schumann-Haus, Zwickau; Archives-No.: *4871,VII,C,7–A3, 7*

already read the work at least 10 times.[4] For no other literary work did the composer record a similarly large number of re-readings. Since March 1845 at the latest Schumann had been contemplating an opera based on this work by Goethe;[5] approximately a year later, he considered a corresponding 'Singspiel at the piano'[6] or a 'Liederspiel text (at the piano)',[7] although whether he made a conceptual distinction between the term 'liederspiel' and 'singspiel' must remain open. Only a full five years afterwards was a *Hermann und Dorothea* compositional project again mentioned, though no longer with a piano accompaniment. The later inspiration came from the poet Moritz Horn as he was working on the text for *Der Rose Pilgerfahrt* Op.112.[8] Whilst Schumann was still exchanging views with Horn about formal questions concerning a possible *Hermann und Dorothea* singspiel or liederspiel, he composed the overture within only five days, from 19 to 23 December 1851.[9] The immediate occasion for the very concentrated work was apparently the imminent Christmas celebration at which the composer presented the score AP to his wife Clara. On the score Schumann recorded a preliminary comment concerning the *Marseillaise* quotation:

For the explanation of the Marseillaise introduced in the overture it may be remarked that it was intended for the opening of a singspiel modelled on Goethe's poem [*Hermann und Dorothea*], whose first scene portrayed the departure of soldiers of the French Republic.

Even barely a year later Schumann had not given up thoughts of a larger work, as can be gathered from his letter to Moritz Horn sent after a lengthier illness:[10]

To make a concert oratorio out of *Hermann u. Dorothea,* could please me very much. Let me know sometime perhaps something in more detail. An overture is already finished, which I probably already wrote you.

In Schumann's lifetime there was neither a performance nor publication of the work. All the same, however, the overture was to be found associated with the programme drafts for January and February 1852 in the *Düsseldorfer Merkbuch,* even if not in a final draft.[11]

On one page in the *Düsseldorfer Merkbuch* Schumann likewise documented compositions for the years 1852 to 1854.[12] These are presumably publication plans, because for 1853 and 1854 to each of the works are added numbers that evidently stand for Schumann's honorarium ideas in *Louisdor.* The 'Overture to *Hermann u. Dorothea*' is recorded there for the year 1854 with the number 20.

Editorial Notes[13]

Orchestral parts were copied by Carl Gottschalk in 1852, documented by the honorarium entry of 23 December 1852 in the household book.[14] Nothing is known of their whereabouts. That part of the set of parts served as engraver's model for the posthumous edition EAO cannot be ruled

4 Notebook, *Zeitungsmaterial. / Lecture. / Musikalische Studien.*, Robert-Schumann-Haus, Zwickau; Archives-No.: *4871/VII,C,5–A3*, here, 11; cf. the edition with facsimile: Gerd Nauhaus, 'Schumanns Lektürebüchlein', in: *Robert Schumann und die Dichter. Ein Musiker als Leser. Katalog zur Ausstellung des Heinrich-Heine-Instituts in Verbindung mit dem Robert-Schumann-Haus in Zwickau und der Robert-Schumann-Forschungsstelle e. V. in Düsseldorf*, eds. Bernhard R. Appel and Inge Hermstrüwer (Düsseldorf, 1991 = *Veröffentlichungen des Heinrich-Heine-Instituts, Düsseldorf* [no number]), 50–87, especially, 58f.
5 See in the household book under 18 March 1845: 'Hermann u. Dorothea opera text' (*Robert Schumann. Tagebücher*, Vol.III: *Haushaltbücher*, Part 1: *1837–1847*, Part 2: *1847–1856*, ed. Gerd Nauhaus [Basel, Frankfurt am Main, ²1988], 383)
6 End of March 1846, *Robert Schumann. Tagebücher*, Vol.II: *1836–1854*, ed. Gerd Nauhaus (Basel, Frankfurt am Main, [²1988]), 399
7 *Robert Schumann. Projectenbuch,* Robert-Schumann-Haus, Zwickau; Archives-No.: *4871,VII,C,8–A3*, 19
8 See the letter of 29 October 1851, *Korespondencja Schumanna,* Schumann's collection of letters sent to him, in the Biblioteka Jagiellońska, Cracow, Poland, Vol.24, No.4315
9 See *Haushaltbücher*, 580, and *Robert Schumann. Projectenbuch,* Robert-Schumann-Haus, Zwickau; Archives-No.: *4871,VII,C,8–A3*, 61

10 Schumann's letter to Horn of 20 December 1852, location unknown, quoted from: Hermann Erler, *Robert Schumann's Leben. Aus seinen Briefen geschildert*, Vol.II (Berlin, [1887]), 184
11 See *Düsseldorfer Merkbuch*, 27, see also ibid., 44
12 *Düsseldorfer Merkbuch*, 38
13 See on this in detail the 'Critical Report' of the Complete Edition volume, RSA I/3, 413–434
14 *Haushaltbücher*, 611

out. Suggested though, on the other hand, is that the manuscript parts were evidently located in Clara Schumann's possession at the start of 1857. A likewise lost copy of the score must have served as engraver's model for the posthumous first edition EAP, since AP is not entirely written out and does not show any kind of engraver's markings. It is probable in fact that the engraver's model of AP was copied, though that this was a score made from the parts cannot be ruled out – no more than that the score also served as model for the printed parts. Relevant for the present edition are the extant sources:

AP   Autograph score

Düsseldorf, 22 December 1851, revised 31 December 1851

Composed probably 21–23 and 31 December 1851

D-Zsch; Archives-No.: *93.64–A1*

The autograph – now in a half-linen cover – originally comprised 36 folios. The title-page is glued at the left to the first music page: *Ouverture / zu / Goethe's / Hermann und Dorothea / für / Orchester. / Seiner lieben Clara / zu Weihnachten 1851.* Dating on the last music page: *Düsseldorf, den 22sten December 1851 / R. Schumann. / Revidirt 31/[12] 51.*[15]

The music text is notated on 66 pages. In addition to corrections in ink there are changes in pencil and red crayon (the latter also in an unknown hand). Additionally, part of the original conception were two natural horns (W.-Hn. 1, 2), which Schumann ultimately dispensed with during the compositional process.

AP contains a number of red-crayon entries, not all of which, however, stemmed from Schumann's hand. Two kinds of red crayon are distinguishable: the first, darker and heavier, stemmed most probably from Schumann himself, individual marks are typically gone

over by him in ink; the second, sometimes of a very pale kind stemmed from an unknown hand.

EAP   First edition of the score

J. Rieter-Biedermann, Winterthur, March 1857

Plate number: 14

Title-page (unnumbered), lithographed with ornamental frame and vignette by Franz Friedrich Adolph Krätzschmer: *OUVERTURE / ZU / GOETHE'S / HERMANN u. DOROTHEA / FÜR ORCHESTER / VON / ROB. SCHUMANN. / OP. 136. N°. 1. der nachgelassenen Werke. Pr. 1½ Thlr. / PARTITUR. / Eigenthum des Verlegers. / WINTERTHUR, bei RIETER-BIEDERMANN. / Leipzig, bei Fr. Hofmeister. /* [plate number EAP:] *14. / Friedr. Krätzschmer, lith. Anst. in Leipzig* Page [1], printed dedication: *Seiner lieben / CLARA.* Page [2]: Preliminary comment. Music text, pp3–63.

EAO   First edition of the orchestral parts

J. Rieter-Biedermann, Winterthur, March 1857

Plate number: 15

Snare drum and piccolo as well as valve Trumpets 1 and 2 are each printed on a separate folio whose outside pages are not printed. Blue wrapper with half-title (at top, violet-blue stamp: *Overture.* [sic]): *OUVERTURE / zu / Hermann u. Dorothea / von / Rob. Schumann. / OP. 136. / CLAVIERAUSZUG / zu 4 Händen. zu 2 Händen. / Orchesterstimmen. /* [plate numbers EAO, piano arrangements for two and four hands EAKA2, EAKA4:] *15. 16. 17.* Inner title- page: *OUVERTURE / zu / GÖTHE'S / HERMANN u. DOROTHEA / für / Orchester / von / ROB. SCHUMANN. / OP. 136. / N°. 1. der nachgelassenen Werke. / CLAVIERAUSZUG vom COMPONISTEN / zu 4 Händen Pr. 1 Thlr. zu 2 Händen Pr. 25 Ngr. / ORCHESTERSTIMMEN / Pr. 3 Thlr. / Eigenthum des*

---

[15] Text loss through trimming

Verlegers. / WINTERTHUR, J. RIETER-BIEDERMANN. / Leipzig, bei Fr. Hofmeister. / [plate numbers EAO, piano arrangement for two and four hands EAKA2, EAKA4:] */ 15. 16. 17. /* [right:] *Lith. Anst. Fr. Krätzschmer, Leipzig*

Schumann's *Ouverture zu Goethe's Hermann und Dorothea* Op.136 was first published after his death in the form of the editions EAP, EAO together with the piano arrangements for two and four hands. The circumstances of the posthumous publication are not clear. None of the autograph sources show engraver's markings so that engraver's models for all publications must have come from lost copies. Whether the orchestral parts go back to the lost manuscript parts, AP or the likewise lost engraver's model of the score cannot be clarified. EAP und EAO agree more or less in some passages differing from AP, but in the process frequently show at the same time contradictions and inconsistencies within themselves and from one to the other that also make the differences appear to be instances of possible unreliability. The few significant differences in comparison with AP are, however, not sufficient to show that they could be derived with certainty from one of the engraver's models that are unknown to us, but go back to Schumann. AP is – aside from the red-crayon entries in an unidentified handwriting that are problematic in this respect – the chronologically latest source known to us to be authorised by Schumann and as such is definitive for the orchestral version of the overture. That the red-crayon entries in unidentified handwriting were for instance transferred by the copyist Gottschalk from the lost manuscript orchestral parts and thus probably authorised at least indirectly by Schumann cannot be ruled out with certainty, but this is improbable. AP shows a reliable music text for the most part.

The present edition, following the editorial guidelines of the New Schumann Edition, is hence based on the text of the autograph score AP as the main source. The red-crayon entries there in unidentified handwriting, which correspond almost without exception to the readings of the posthumous editions EAP and EAO, together with several significantly discrepant readings from EAP and EAO, are documented in the 'Editorial Notes' and, when necessary, edited as *ossia*, since their authorisation by Schumann cannot be ruled out with certainty, nor that they were to be found in secondary, albeit lost sources. Editorial emendations are indicated in the music text by [ ] or broken lines (for slur placement); other interventions and problematic places are documented in the following report offering an excerpt from the 'Editorial Notes' of the volume of the complete edition.

For two parts notated in AP on one stave (e.g., Ob.), slurs, stemming and/or articulation are, as typical of the time, mostly notated only once. Corresponding signs for the other part are as a rule tacitly added in the present edition. In AP (*de-*)*crescendo* hairpins as well as other dynamic details are repeatedly non-uniform as well as several passages of individual parts and portions of the recapitulation that are not written out, but notated by *colla-parte* or other directives. The least problematical passages are not given here separately. Additionally in AP several places are stemmed in two-part staves only once without further reference; they were interpreted for the edition as valid for both parts.

Vc. is not completely written out in AP, but repeatedly given as *colla parte* – mostly by the comment *m. B.*, that is, 'with double bass'. Lacking in AP for some of the bars that are not filled out is an explicit reference to *colla-parte* instructions. These passages were likewise given instructions for running parallel with Cb., as is also normally suggested by the connecting notes before and after the passages that are not written out.

In Vl. I, II and Va., especially, there are passages that are notated in two parts by separate stemming. Whereas in other works Schumann explicitly stipulated '*divisi*' for many passages – though also apparently not always consistently –, there is no such verbal reference in this overture. It is unclear whether a separate stemming is to be stipulated for *divisi* execution from the outset. This could be suggested by the numerous separate and simple stemming changes without obvious reason, which could have only technical notational causes in the rhythmic differences. In other places *tremolo* sections are likewise not always generally uniformly stemmed. Here single stemming could also be attributed only to economy of writing.

In order not to conceal possible signs of a possibly intended differentiation, standardisation was dispensed with as a rule.

For Va. und Vc. in AP, single-part passages notated after sections to be played *divisi* were interpreted as valid for both parts and (in Va. only in the transition) indicated as *unis*.

Armin Koch
Translation: Margit L. McCorkle

VORWORT

Von Robert Schumann sind insgesamt neun vollständig komponierte, als Ouvertüren betitelte Werke für Orchester überliefert. Die meisten davon sind auf seine Initiative hin zumindest auch eigenständig aufgeführt und veröffentlicht worden oder waren immerhin für Aufführung und Veröffentlichung vorgesehen. Mehrheitlich weisen sie im Titel ausdrücklich ein außermusikalisches Sujet bzw. einen musikalischen Bezug auf. Sonderfälle bilden der frühe Versuch *Ouverture et Chor* von 1822/23 (RSW Anhang I9, von Schumann nicht veröffentlicht) und *Ouverture, Scherzo und Finale* op. 52. Letzteres ist das einzige Ouvertüren-Werk ohne explizit äußerlichen Bezug.

Drei der Ouvertüren entstammen größeren Werkzusammenhängen: der Oper *Genoveva* op. 81, dem von Schumann als „Dramatisches Gedicht" bezeichneten *Manfred* op. 115 sowie den *Scenen aus Goethes Faust* (postum veröffentlicht, WoO 3). Die Ouvertüren zu *Genoveva* (entstanden 1847, gedruckt 1850) und *Manfred* (entstanden 1848, gedruckt 1852), die Schumann beide vor den übrigen Teilen des jeweiligen Werkes komponiert hatte, ließ der Komponist selbst auch als eigenständige Werke drucken und aufführen, für die – als letzter Teil des Werks entstandene – Ouvertüre zu den *Faust-Scenen* gibt es diesbezüglich keine ausdrücklichen Hinweise. Drei weitere, innerhalb nur eines Jahres entstandene Ouvertüren sind – wie auch die *Fest-Ouvertüre mit Gesang über das Rheinweinlied* op. 123 – ohne größeren Werkzusammenhang überliefert, also als reine Konzertouvertüren anzusehen. Zwar gingen zweien davon Überlegungen zu einer Opern- bzw. Liederspielkomposition voraus (*Ouverture zur Braut von Messina von Fr. v. Schiller* op. 100, entstanden Ende 1850/Anfang 1851, gedruckt 1851, und *Ouverture zu Goethes Hermann und Dorothea*, entstanden Ende 1851, postum als op. 136 veröffentlicht). Es sind jedoch keinerlei musikalische Quellen bekannt, die die Ouvertüren ergänzen

würden. Für die *Ouverture zu Shakespeares Julius Cäsar* op. 128 (entstanden Frühjahr 1851, gedruckt 1854/55) sind keine solchen Überlegungen dokumentiert. Die *Rheinweinlied*-Ouvertüre unterscheidet sich grundsätzlich von den übrigen, da sie als *Fest-Ouverture* – komponiert für das Niederrheinische Musikfest 1853 – einer anderen Gattung angehört.

Aus der Zeit der Komposition der Ouvertüre zur *Braut von Messina* stammt ein Tagebucheintrag Clara Schumanns über ihren Mann:[1] „Die Idee, zu mehreren der schönsten Trauerspiele Ouvertüren zu schreiben, hat ihn so begeistert, daß sein Genius wieder von Musik übersprudelt." Im sogenannten *Düsseldorfer Merkbuch* hielt Schumann neben einer langen Reihe von Trauerspielen auch eine Liste für die Idee eines – wie er in einem Brief schrieb[2] – *Cyklus der Ouvertüren* fest:[3] als Nummern 1–4 die zu *Genoveva*, *Braut von Messina*, *Julius Cäsar* und *Manfred*. Für den *Cyklus* war nie ausdrücklich von einer Beschränkung auf Trauerspiele als Sujets die Rede und so konnte Schumann später als Nummer 5 die Ouvertüre zu *Hermann und Dorothea* hinzufügen. Der Plan wurde jedoch nicht verwirklicht.

Zum vorliegenden Werk

Johann Wolfgang von Goethes Epos *Hermann und Dorothea* übte eine große Faszination auf Robert Schumann aus. Laut seinen Anfang 1845 begonnenen *Lecture*-Notizen hatte er das Werk zu dieser Zeit bereits mindestens zehnmal ge-

---

1 Berthold Litzmann, *Clara Schumann. Ein Künstlerleben. Nach Tagebüchern und Briefen,* Bd. II: *Ehejahre 1840–1856,* Leipzig ⁶1920, S. 259.

2 Brief Schumanns an den Verlag C. F. Peters, 24. März 1851, Heinrich-Heine-Institut, Düsseldorf; Akzessions-Nr.: *91.5045/1.* Schumanns Briefwechsel mit dem Verlag ist gedruckt in: *Briefwechsel Robert und Clara Schumanns mit Leipziger Verlegern III,* hg. von Petra Dießner, Irmgard Knechtges-Obrecht und Thomas Synofzik, Köln 2008 (*Schumann Briefedition,* III/3).

3 *Robert Schumann. Düsseldorfer Merkbuch,* Robert-Schumann-Haus, Zwickau; Archiv-Nr.: *4871,VII,C,7–A3,* S. 7.

lesen.[4] Für kein anderes literarisches Werk notierte der Komponist eine ähnlich große Zahl von Lese-Durchgängen. Spätestens seit März 1845 dachte Schumann über eine Oper auf der Grundlage dieses Werks von Goethe nach,[5] etwa ein Jahr später über ein entsprechendes *Singspiel am Clavier*[6] bzw. einen *Liederspieltext (am Clavier)*,[7] wobei offen bleiben muss, ob Schumann konzeptionell zwischen „Liederspiel" und „Singspiel" unterschied. Erst gut fünf Jahre danach war wieder von einem Kompositionsprojekt *Hermann und Dorothea* die Rede, jedoch nicht mehr von einer Klavierbegleitung. Die neuerliche Anregung ging vom Dichter Moritz Horn aus, als dieser am Text für *Der Rose Pilgerfahrt* op. 112 arbeitete.[8] Noch während Schumann sich mit Horn über Formfragen eines möglichen Sing- oder Liederspiels *Hermann und Dorothea* austauschte, komponierte er die Ouvertüre innerhalb von nur fünf Tagen vom 19. bis 23. Dezember 1851.[9] Anlass für die hochkonzentrierte Arbeit war offenbar das bevorstehende Weihnachtsfest, zu dem der Komponist seiner Frau Clara die Partitur schenkte.

Zur Partitur notierte Schumann eine Vorbemerkung bezüglich des *Marseillaise*-Zitats:

Zur Erklärung der in die Ouverture eingeflochtenen Marseillaise möge bemerkt werden, dass sie zur Eröffnung eines dem Göthe'schem Gedichte nachgebildeten Singspiels bestimmt war, dessen erste Scene den Abzug von Soldaten der französischen Republik darstellte.

Auch knapp ein Jahr später hatte Schumann den Gedanken an ein größeres Werk nicht aufgegeben, was aus seinem nach längerer Krankheit an Moritz Horn gesandten Brief hervorgeht:[10]

Aus Hermann u. Dorothea ein Concert-Oratorium zu machen, könnte mir wohl gefallen. Theilen Sie mir vielleicht gelegentlich etwas Näheres mit. Eine Ouverture ist bereits fertig, was ich Ihnen wohl schrieb.

Zu Schumanns Lebzeiten kam es jedoch weder zu einer Verwirklichung der Pläne für ein umfangreicheres Werk noch zu einer Aufführung oder zur Drucklegung der Ouvertüre. Immerhin findet sich die Ouvertüre im Umfeld von Konzertprogrammentwürfen für Januar und Februar 1852 im *Düsseldorfer Merkbuch*, wenn auch nicht in einem abgeschlossenen Entwurf.[11]

Ebenfalls im *Düsseldorfer Merkbuch* dokumentierte Schumann auf einer Seite Kompositionen für die Jahre 1852 bis 1854.[12] Vermutlich handelt es sich um Veröffentlichungspläne, denn für 1853 und 1854 sind den Werken jeweils Zahlen hinzugefügt, die offenbar für Schumanns Honorarvorstellungen in Louisdor stehen. Die *Ouv. zu Hermann u. Dorothea* ist dort für das Jahr 1854 mit der Zahl 20 notiert.

Revisionsbericht[13]

Ende 1852 wurden von Carl Gottschalk Orchesterstimmen abgeschrieben, was der Honorar-

4   Notizbuch *Zeitungsmaterial. / Lecture. / Musikalische Studien.*, Robert-Schumann-Haus, Zwickau; Archiv-Nr.: *4871/VII,C,5–A3*, hier S. 11; vgl. die Edition mit Faksimile: Gerd Nauhaus, „Schumanns Lektürebüchlein", in: *Robert Schumann und die Dichter. Ein Musiker als Leser. Katalog zur Ausstellung des Heinrich-Heine-Instituts in Verbindung mit dem Robert-Schumann-Haus in Zwickau und der Robert-Schumann-Forschungsstelle e. V. in Düsseldorf*, bearb. von Bernhard R. Appel und Inge Hermstrüwer, Düsseldorf 1991 (*Veröffentlichungen des Heinrich-Heine-Instituts, Düsseldorf* [ohne Nummer]), S. 50–87, besonders S. 58f.
5   Vgl. im Haushaltbuch unter dem 18. März 1845: *Hermann u. Dorothea Operntext* (*Robert Schumann. Tagebücher*, Bd. III: *Haushaltbücher*, Teil 1: *1837–1847*, Teil 2: *1847–1856*, hg. von Gerd Nauhaus, Basel, Frankfurt am Main [²1988], S. 383).
6   Ende März 1846, *Robert Schumann. Tagebücher*, Bd. II: *1836–1854*, hg. von Gerd Nauhaus, Basel, Frankfurt am Main [²1988], S. 399).
7   *Robert Schumann. Projectenbuch*, Robert-Schumann-Haus, Zwickau; Archiv-Nr.: *4871,VII,C,8–A3*, S. 19.
8   Siehe den Brief vom 29. Oktober 1851, *Korespondencja Schumanna*, Schumanns Sammlung an ihn gerichteter Briefe in der *Biblioteka Jagiellońska*, Kraków, Polen, Bd. 24, Nr. 4315.
9   Vgl. *Haushaltbücher*, S. 580, und *Robert Schumann. Projectenbuch*, Robert-Schumann-Haus, Zwickau; Archiv-Nr.: *4871,VII,C,8–A3*, S. 61.
10   Brief Schumanns an Horn vom 20. Dezember 1852, Standort unbekannt, zitiert nach: Hermann Erler, *Robert Schumann's Leben. Aus seinen Briefen geschildert*, 2. Band, Berlin [1887], S. 184.
11   Siehe *Düsseldorfer Merkbuch*, S. 27, siehe auch ebd. S. 44.
12   *Düsseldorfer Merkbuch*, S. 38.
13   Siehe dazu ausführlich den *Kritischen Bericht* des Gesamtausgaben-Bandes RSA I/3, S. 413–434.

eintrag vom 23. Dezember 1852 im Haushaltbuch belegt.[14] Über ihren Verbleib ist nichts
bekannt. Es ist nicht auszuschließen, dass ein
Teil der Stimmen als Stichvorlage für die postume
Erstausgabe EAO diente. Allerdings spricht dagegen, dass sich die handschriftlichen Stimmen
Anfang 1857 offenbar in Clara Schumanns Be-
sitz befanden. Als Stichvorlage für die postume
Erstausgabe EAP muss eine ebenfalls verschollene Partiturabschrift gedient haben, da AP teilweise nicht ausgeschrieben ist und keinerlei
Stechermarkierungen aufweist. Zwar ist es wahr-
scheinlich, dass die Stichvorlage von AP abgeschrieben wurde, doch kann nicht ausgeschlossen werden, dass es sich um eine Spartierung
aus den Stimmen handelte – ebenso wenig dass
die Partitur als Vorlage auch für die gedruckten
Stimmen diente. Für die vorliegende Ausgabe
relevante überlieferte Quellen:

AP   Autographe Partitur
Düsseldorf, 22. Dezember 1851, revi-
diert 31. Dezember 1851
Entstanden wohl 21.–23. und 31. Dezember 1851
D-Zsch; Archiv-Nr.: *93.64–A1*
Das Autograph – jetzt in einem Halb-
leineneinband – umfasste ursprünglich
36 Blätter. Das Titelblatt ist links auf
die erste Notenseite geklebt: *Ouverture
/ zu / Goethe's / Hermann und Dorothea / für / Orchester. / Seiner lieben
Clara / zu Weihnachten 1851.* Datierung
auf letzter Notenseite: *Düsseldorf, den
22sten December 1851 / R. Schumann.
/ Revidirt 31/*[12] *51.*[15]
Der Notentext ist auf 66 Seiten notiert.
Neben Tintenkorrekturen finden sich
Änderungen mit Bleistift und Rötel
(letztere auch von fremder Hand).
Zur ursprünglichen Konzeption ge-
hörten zusätzlich zwei Waldhörner (W.-
Hn. 1, 2), auf die Schumann während
des Kompositionsprozesses schließlich
verzichtete.

AP enthält eine Reihe von Röteleins-
tragungen von denen jedoch nicht alle
von Schumanns Hand stammen. Grundsätzlich sind zwei Rötelarten unter-
scheidbar: die erste, dunklere und kräf-
tigere stammt ganz offensichtlich von
Schumann selbst, einzelne Zeichen sind
von ihm charakteristisch mit Tinte nach-
gezogen; die zweite, teils sehr blasse
Rötelsorte stammt von fremder Hand.

EAP   Erstausgabe der Partitur
J. Rieter-Biedermann, Winterthur, März
1857
Plattennummer: 14
Titelblatt (ungezählt), Lithographie
mit Schmuckrahmen und Vignette von
Franz Friedrich Adolph Krätzschmer:
*OUVERTURE / ZU / GOETHE'S /
HERMANN u. DOROTHEA / FÜR
ORCHESTER / VON / ROB. SCHU-
MANN. / OP. 136. Nº. 1. der nachge-
lassenen Werke. Pr. 1½ Thlr. / PARTI-
TUR. / Eigenthum des Verlegers. /
WINTERTHUR, bei RIETER-BIEDER-
MANN. / Leipzig, bei Fr. Hofmeister. /*
[Plattennummer EAP:] *14. / Friedr.
Krätzschmer, lith. Anst. in Leipzig*
S. [1] gedruckte Widmung: *Seiner lie-
ben / CLARA.* S. [2]: Vorbemerkung.
Notentext S. 3–63.

EAO   Erstausgabe der Orchesterstimmen
J. Rieter-Biedermann, Winterthur, März
1857
Plattennummer: 15
Kl. Tr. und Kl. Fl. sowie V.-Trp. 1 und
2 sind jeweils auf einem ungetrennten
Bogen gedruckt, dessen Außenseiten
unbedruckt sind. Blauer Umschlag mit
Außentitel (oben violett-blauer Stempel:
Overture. [sic]): *OUVERTURE / zu /
Hermann u. Dorothea / von / Rob.
Schumann. / OP. 136. / CLAVIERAUS-
ZUG / zu 4 Händen. zu 2 Händen. /
Orchesterstimmen. /* [Plattennummern
EAO, EAKA2, EAKA4:] */ 15. 16. 17.*
Innentitel: *OUVERTURE / zu / GÖ-
THE'S / HERMANN u. DOROTHEA /*

---

[14] *Haushaltbücher*, S. 611.
[15] Textverlust durch Beschnitt.

für / Orchester / von / ROB. SCHUMANN. / OP. 136. / Nº. 1. der nachgelassenen Werke. / CLAVIERAUSZUG vom COMPONISTEN / zu 4 Händen Pr. 1 Thlr. zu *2 Händen Pr. 25 Ngr. / ORCHESTER-STIMMEN / Pr. 3 Thlr. / Eigenthum des Verlegers. / WINTERTHUR, J. RIETER-BIEDERMANN. / Leipzig, bei Fr. Hofmeister. /* [Plattennummern EAO, EAKA2, EAKA4:] / *15. 16. 17. /* [rechts:] *Lith. Anst. Fr. Krätzschmer, Leipzig*

Schumanns *Ouverture zu Goethe's Hermann und Dorothea* op. 136 wurde erst nach seinem Tod in Form der Ausgaben EAP, EAO sowie der Klavierauszüge zu zwei und vier Händen veröffentlicht. Die Umstände des postumen Drucks sind nicht geklärt. Keine der autographen Quellen zeigt Stechereintragungen, so dass für alle Drucke von verschollenen Abschriften als Stichvorlagen ausgegangen werden muss. Ob die für die Orchesterstimmen auf die verschollenen handschriftlichen Stimmen, AP oder die ebenfalls verschollene Stichvorlage der Partitur zurückgeht, kann nicht geklärt werden. EAP und EAO stimmen in einigen von AP abweichenden Stellen zwar mehr oder weniger überein, zeigen dabei aber zugleich häufig in sich und untereinander Widersprüchlichkeiten und Inkonsequenzen, die auch die Abweichungen als mögliche Unzuverlässigkeiten erscheinen lassen. Die wenigen signifikanten Abweichungen gegenüber AP sind nicht genügend belastbar, um daraus eine auf Schumann zurückgehende, uns unbekannte Stichvorlage sicher ableiten zu können. AP ist – von den in dieser Hinsicht problematischen fremdschriftlichen Röteleinträgen abgesehen – die chronologisch letzte uns bekannte, von Schumann autorisierte und damit maßgebliche Quelle für die Orchesterfassung der Ouvertüre. Dass die fremdschriftlichen Röteleintragungen etwa als Rückübertragungen aus den verschollenen handschriftlichen Orchesterstimmen durch den Kopisten Gottschalk vom Komponisten zumindest indirekt autorisiert sind, lässt sich nicht mit Sicherheit

ausschließen, ist aber unwahrscheinlich. AP zeigt einen größtenteils zuverlässigen Notentext.

Der vorliegenden Ausgabe, die den Editionsrichtlinien der Neuen Schumann-Gesamtausgabe folgt, liegt daher der Text der autographen Partitur AP als Hauptquelle zugrunde. Die darin enthaltenen fremdschriftlichen Röteleintragungen, die fast durchweg Lesarten der postumen Ausgaben EAP und EAO entsprechen, sowie einige signifikant abweichende Lesarten von EAP und EAO werden dokumentiert und gegebenenfalls als *ossia* ediert, da nicht mit letzter Sicherheit ausgeschlossen werden kann, dass sie durch Schumann autorisiert waren und sich in weitergeführten, aber verschollenen Quellen finden. Ergänzungen des Herausgebers sind im Notentext durch [ ] bzw. Strichelung (bei Bogensetzung) kenntlich gemacht; andere Eingriffe und problematische Stellen sind im folgenden Bericht dokumentiert, der einen Auszug aus dem Revisionsbericht des Gesamtausgaben-Bandes bietet.

Bei zwei Stimmen, die in AP in einem System notiert sind (z. B. Hob.), sind häufig Bögen, Hälse bzw. Artikulationszeichen zeittypisch nur einmal gesetzt. Entsprechende Zeichen für die jeweils andere Stimme sind in der Edition normalerweise stillschweigend ergänzt. In AP sind (De-)Crescendo-Gabeln sowie andere dynamische Angaben mehrfach uneinheitlich gesetzt sowie einige Passagen von einzelnen Stimmen und Teile der Reprise nicht ausgeschrieben, sondern durch Colla-parte- oder andere Verweise notiert. Die meist unproblematischen Stellen sind hier nicht einzeln aufgeführt. In AP sind zudem einige Stellen in zweistimmigen Systemen ohne weitere Hinweise nur einfach gehalst; sie wurden für die Edition als für beide Stimmen geltend aufgefasst.

Vc. ist in AP nicht vollständig ausgeschrieben, sondern mehrfach Colla parte – meist durch den Vermerk *m. B.* mit Cb. – geführt. Bei einigen nicht ausgefüllten Takten fehlt in AP ein konkreter Hinweis auf Colla-parte-Führung. Diese Passagen wurden ebenfalls als Parallelführung mit Cb. umgesetzt, wofür normalerweise auch die Anschlussnoten vor und nach den nicht ausgeschriebenen Passagen sprechen.

In Vl. I, II und vor allem Br. gibt es Passagen, die durch getrennte Halsung zweistimmig notiert sind. Während Schumann in anderen Werken ausdrücklich *getheilt* für manche Passagen vorschreibt – allerdings anscheinend auch nicht immer konsequent –, findet sich in dieser Ouvertüre kein solcher verbaler Hinweis. Unklar ist, ob eine getrennte Halsung von vornherein geteilte Ausführung vorschreiben soll. Dagegen könnte sprechen, dass mehrfach getrennte und einfache Halsung ohne ersichtlichen Grund wechseln, was zumindest teilweise lediglich notationstechnische Ursachen haben könnte. An anderer Stelle sind Tremolo-Abschnitte ebenfalls nicht immer durchgehend einheitlich gehalst. Hier könnte einfache Halsung auch nur auf Schreibökonomie zurückzuführen sein. Um etwaige Zeichen für eine möglicherweise intendierte Differenzierung nicht zu verwischen, wurde in der Regel auf eine Vereinheitlichung verzichtet.

In AP für Br. und Vc. einstimmig notierte Passagen nach geteilt zu spielenden Abschnitten wurden als für beide Stimmen geltend aufgefasst und (in Br. nur im Übergang) mit *unis.* bezeichnet.

Armin Koch

Einzelanmerkungen

Takt(e)	Stimme(n)	Anmerkung
7–9 (141–143)	Kl. Fl.	AP a. corr.:

pp nach Korrektur in T. 7 verblieben; für die Edition von dort in T. 8 verschoben

Takt(e)	Stimme(n)	Anmerkung
9	Vl. II	AP: g^1 statt $\sharp gis^1$, $\sharp$ von fremder Hand mit Rötel ergänzt
9 (143)	Hob. 2	AP: Lesart 2. ZZ durch Korrektur nicht eindeutig; vermutlich a. corr. $\sharp dis^2$, korrigiert zu g^2 [sic], siehe Stimmführung Vl. II; möglicherweise umgekehrt, siehe Stimmführung Clar. 2
	Br.	AP: 2. ZZ ohne Vorzeichen, Tonhöhe nicht eindeutig, g oder eher f statt $\sharp gis$; von fremder Hand mit Rötel korrigiert
10 (144)	Br.	AP: 2. Takthälfte ➤; in der Edition aus Stimmführungsgründen schon wie Fg. gesetzt (vgl. Colla-parte-Vermerk *c. Fag. 1. 2.* für T. 11–16; vgl. dagegen Clar., die die Synkope als Einwurf ohne Auftakt spielt, wenn auch ohne die Fortführung; dort T. ⁺11 a. corr. ♫ (notiert) a^1–h^1 mit Bogen statt ♩) Bogen für T. 11, 1.–2. Note, analog T. ⁺1 ohne den Auftakt (vgl. dagegen jeweils Fg.) gesetzt
26 (160)	V.-Trp. 2	AP: wohl versehentlich als h–h notiert; in der Edition weiterhin als Oktave zu V.-Trp. 1 gesetzt
⁺28–30 (⁺162–164)	(Br.)	AP: T. 28–30 nicht ausgeschrieben, Colla-parte-Vermerk *c. Fag. 1. 2* (= Ob. 1, 2); in der Edition Bögen analog Vl. I gesetzt, für die sie ausdrücklich notiert sind
⁺29 (⁺163)	(Vl. II)	AP: T. 29 nicht ausgeschrieben, Colla-parte-Vermerk *c. Ob. 2.* mit erstem Bogen von T. ⁺29 über dem System; sonst keine von Ob. 2 abweichende Bogen-Setzung angedeutet; in der Edition trotzdem analog Vl. I gesetzt, für die die Bögen ausdrücklich notiert sind
35–38 (169–172)	(Clar.)	AP: nicht ausgeschrieben, Colla-parte-Vermerk *in 8ᵛᵃ c. Fl.*; um den Anschluss in der entsprechenden Oktavlage zu gewährleisten, wurde in der Edition für den in Fl. gegenüber Ob. nach oben oktavierten Bereich (T. 35 und T. 36, 1. ZZ) doppelte nach unten oktaviert gewählt und T. 35, 1. ZZ, als Halteton (klingend) fis^1 statt dis^1 gesetzt (vgl. Stimmführung Vl. II)
41	Fl. 1	AP: $\diagup$ zu 2. ZZ; in der Edition statt dessen analog den übrigen Stimmen *fp* zu 1. ZZ gesetzt
50	Fg.	AP: Takt zunächst nicht ausgefüllt; von fremder Hand mit Rötel ergänzt wie in eckigen Klammern ediert (ohne dynamische Angabe), allerdings sehr blass, unklar, ob wieder radiert
53	Fg. 2	AP: 3. ZZ a. corr. fis; Korrektur mit Rötel EAP, EAO: fis
⁺54	Hob., Clar.	AP: Bogen jeweils durchgehend, aber geschwungen mit Tiefpunkt auf Taktmitte notiert; in der Edition wie Fl. gesetzt

54	Vc., Cb.	AP: 5. Taktachtel nicht mit 6.–8. Taktachtel zusammengeballt, Bogen 1.–3. Note statt 1.–2. Note; für die Edition an übrige Stimmen und Parallelstelle T. 190 angeglichen
55, 57	alle	vgl. Parallelstelle T. 191, 193 (T. 191 mit *sfp* statt *sf* $\Longrightarrow$ für Bläserstimmen)
59	alle	AP: $\Longleftarrow$ $\Longrightarrow$ sehr uneinheitlich notiert, teilweise auch als < > lesbar; für die Edition vereinheitlicht; vgl. Parallelstelle T. 195
63	Hob. 1, Clar. 1	AP: *cresc.* schon zu 1. Note; in der Edition angeglichen an die Position in den übrigen Stimmen; vgl. T. 199
	Vl. II	AP: Unterstimme, 3. Note: ♫ fis¹–fis¹ statt ♪; in der Edition wie T. 64 gesetzt
65	Fg.	AP: *sf* statt *fp*; in der Edition an die übrigen Stimmen angeglichen
66	Fl. 1 (Clar. 1)	AP: 1. Bogen bis Vorschlag; in der Edition Bogen analog Vl. I verkürzt
67–70 (203–206)	Fg., Vl. I, II, Vc., Cb.	eine Ergänzung von Staccato-Punkten für die Skalen-Triolen scheint zwar naheliegend, doch widerspricht dem die Notation der in der Edition wiedergegebenen einzelnen Staccato-Punkte bei den Viertelnoten in AP
⁺71	Fl. 1	AP: T. 70, 4. ZZ, mit Staccato-Punkt; in der Edition angeglichen an Vl. I und T. ⁺73
	Clar. 1	AP: *Solo* vorgezogen von T. 71, 1. Note, analog Parallelstelle T. 206
74	Clar.	AP: *cresc.* erst zu 4. Taktachtel; in der Edition angeglichen an übrige Stimmen
78	Vc.	AP: nur einstimmig notiert (Noten wie Vc. I, 1. ZZ nach oben gehalst, 2.–4. ZZ nach unten gehalst); unklar ob Colla-parte-Vermerk *2ᵈᵒ c. B.* aus T. 76–77 für Vc. II weiterhin gültig; da jedoch die Colla-parte-Vermerke für Fg. 2 (T. 77–81) und Va. (in T. 78) ausdrücklich auf Vc. I verweisen, ist die Geltung *2ᵈᵒ c. B.* für T. 78 anzunehmen und in der Edition umgesetzt; ab T. 79 (in AP auf neuer Seite) ergibt sich faktisch sowieso ein Unisono von Vc. und Cb.
79	(Fg. 1, 2)	in der Edition analog den übrigen Bläsern > statt *sf* (aus Colla-parte-Führung) gesetzt
	Cb.	AP: mit > statt *sf*; in der Edition an übrige Streicher angeglichen
81	V.-Trp.	AP: ♪ mit ^; in der Edition mit Blick auf die übrigen Stimmen nicht berücksichtigt
83	Fg. 2	AP: 1. Note versehentlich mit zweiter Hilfslinie (= H) notiert; in der Edition entsprechend dem Umfeld korrigiert
85–87	Fl.	AP: T. 85, 4. ZZ–T. 87, 1. Note: eine Oktave tiefer notiert mit Oktavierungsanweisung *8ᵛᵃ* zu T. 85, 4. ZZ; Bogen über entsprechenden Noten als Hinweis auf Geltungsdauer aufgefasst
86	Hob. 2	AP: h² statt ♭b²; von fremder Hand mit Rötel korrigiert
	Clar.	AP: (notiert) a² statt ♭as²; von fremder Hand mit Rötel korrigiert
90	Vl. II	AP: 3. ZZ, 1. Note, mit Staccato-Punkt; in der Edition mit Blick auf Umgebung nicht berücksichtigt
95	Hob.	AP: 1. Note mit > statt ^; in der Edition vereinheitlicht

102–103	Vc. II, Cb.	AP: T. 102, 4. ZZ, vor Seitenwechsel mit Bogen über Takt-grenze hinaus; nur für Vc. II nach Seitenwechsel aufgegriffen, vermutlich aber versehentlich bei Korrektur T. 103 nicht ge-strichen (a. corr.: 1.–2. ZZ: ♩); in der Edition mit Blick auf T. 104–105 und T. 106–107 nicht berücksichtigt
106	V.-Trp. 2	AP: 4. ZZ ohne Notenkopf, Hilfslinien sind notiert
107	Fl. 2	AP: Taktende: waagrechter Strich, der unter Umständen als Bogen T. 107, 2. Note–T. 108, 1. Note, gedeutet werden könnte; in der Edition nicht berücksichtigt, da in den übrigen Stimmen höchstens Haltebögen notiert sind
107–113	(Vc.)	AP: T. 107, 4. ZZ–T. 113, 3. ZZ, nicht ausgeschrieben, lediglich durch ∫ als Colla-parte-Führung ausgewiesen, ohne verbale Hinweise; für die Edition auch wegen der Anschlussnoten (Fg. 1, 2 entsprechend) als *c. B.* verstanden
111	V.-Trp.	AP: 4. ZZ nicht notiert; ♮ von fremder Hand mit Rötel ergänzt
112–113	Fl.	AP: ob die Oktavierungsanweisung *8va* aus T. 111 ab T. 112, 2. Note, noch Geltung hat, ist unsicher, da die den Umfang andeutende Wellenlinie offenbar zumindest vorübergehend verkürzt wurde: ursprünglich reichte sie bis T. 113, 1. Note; sie wurde dann offenbar mit Tinte für T. 112, 2. Takthälfte, (wohl aus Platzgründen bis vor ^ gestrichen); danach wurde eben dieser Abschnitt (die Streichung?) mit Rötel gestrichen, so dass nicht eindeutig ist, ob damit die Verkürzung der Gel-tungsdauer bekräftigt oder rückgängig gemacht wurde; für die Edition als Bekräftigung der Streichung verstanden und analog Vl. I in unterer Oktavlage gesetzt
119	Hob. (Clar.)	AP: 1. Note mit ^ statt >; in der Edition angeglichen an Um-gebung
	Br.	AP: 3., 4. ZZ mit >; in der Edition im Blick auf Umgebung nicht berücksichtigt
122	Fl. (Hob.)	AP: Notenkopf 1. ZZ (2. ZZ) für Fl. 2 (Hob. 2) nur sehr flüchtig angedeutet, eher auf Höhe cis²; für die Edition analog den übrigen Stimmen als h² (h¹) aufgefasst
123	Clar. 2	AP: (notiert) e² statt ♭es²; von fremder Hand mit Rötel korrigiert
123 (124)	Br.	AP: T. 123, 2. Takthälfte (T. 124, 1. Takthälfte): ♯cis statt ♮c; von fremder Hand mit Rötel korrigiert
125	Fg. 2, Vc. II	AP: cis statt ♮c; ♮ von fremder Hand mit Rötel ergänzt
130	Hob. 2 (Clar. 2)	mit Blick auf die Stimmführung in Fl. 2, Vl. II, Br. wäre 4. ZZ auch eine Korrektur zu (klingend) ♮a¹ (Clar. 2 notiert ♮c²) denkbar
132	Vl. I	AP: 4. ZZ mit ^; in der Edition mit Blick auf die übrigen Stimmen nicht berücksichtigt
135–139	Vc. I	in der Edition im Blick auf den ausnotierten Anschluss T. 140 sowie auf T. 1–5 entgegen Anweisung *1° c. Fag. 1* mit Fg. 2 geführt
140	Vc. II	denkbar wäre für 1. ZZ auch eine Angleichung an T. 6, da keine andere Stimme an dieser Stelle eine triolische Figur auf-

weist und eine solche lediglich durch die vorangehenden trio-
lischen Abbreviaturen motiviert scheint

161 (27) V.-Trp., Br.,   AP: 1. Takthälfte in Takt 27, auf den rückverwiesen wird: ♩♪;
        Vc., Cb.   in der Edition angeglichen an ausgeschriebene Vl. I, Vl. II
                                    EAP, EAO: 1. Takthälfte ♩♪

181–182 Vl. II   AP: T. 181, 1.–3. Note, und T. 182, 1.–5. Note, nur einfach ge-
                                    halst; für die Edition entsprechend Parallelstelle T. 45–46 ge-
                                    setzt
                                    T. 181, 5. Taktachtel nicht mit 6.–8. Taktachtel zusammenge-
                                    balkt; für die Edition an übrige Stimmen angeglichen

189   Fl. 2   AP: 4. ZZ ♪; in der Edition angeglichen an Ob. 2 und Vl. II
                                    EAP, EAO: 4. ZZ ♪

191, 193 alle   vgl. Parallelstelle T. 55, 57 (T. 55 mit *sf* ══ statt *sfp* für
                                    Bläserstimmen)

199   Hob. 1, Clar. 1   AP: *cresc.* zu 3. ZZ; in der Edition angeglichen an die Position
                                    in den übrigen Stimmen; vgl. T. 63

204–206 Fl., Hob., Clar.   hinsichtlich der Ergänzung der Staccato-Punkte vgl. T. 68–70

219–220 V.-Hn.   AP: ══ über und unter dem System T. 219, 4. ZZ–T. 220,
                                    vor 1. Note; in der Edition an die übrigen Stimmen angeglichen

228   Fl. 1   AP: 1. ZZ: fis^3; in der Edition nach Umgebung korrigiert

229–230 Hob. 1   AP: fis^2 T. 229 mit Bogen zum Folgetakt; in der Edition nicht
                                    berücksichtigt, da wohl Zeugnis eines geplanten, aber offen-
                                    bar wieder verworfenen Haltetons (vgl. Clar. 1)

232   Fl. 1, Hob. 1   AP: 1. Note: ais^2 bzw. ais^1 statt ♮a^2 bzw. ♮a^1; ♮ von fremder
                                    Hand mit Rötel ergänzt

233   Br.   AP: am Akkoladenanfang versehentlich mit Violinschlüssel und
                                    entsprechender Vorzeichnung, aber in korrekter Tonhöhe für
                                    Bratschenschlüssel notiert

235   Fl.   AP: 3. Note mit *sf* statt *fp*; in der Edition angepasst an Umgebung
       Fl. 1   AP: 8. Taktachtel: fis^2; in der Edition entsprechend der Stimm-
                                    führung in Hob. 1 und Vl. I zu ais^2 korrigiert

248   Fg. 2   AP: dis statt ♮d; ♮ von fremder Hand mit Rötel ergänzt
       Br. II   AP: h statt ♮d; in der Edition aus Stimmführungsgründen analog
                                    Fg. 2 und im Blick auf T. 251 korrigiert

⁺249   Vc. I   obwohl noch Colla-parte-Vermerk *1º col Fag. I.* von T. 246
                                    gültig, Bogen zu T. 249 analog Va. und ähnlichen Stellen nicht
                                    berücksichtigt

250   Vl. II   AP: d^1 statt cis^1; in der Edition korrigiert mit Blick auf Um-
                                    gebung und analog T. 247

251   Vl. II   AP: 2. ZZ mit Staccato-Punkt; in der Edition mit Blick auf
                                    übrige Stimmen weggelassen
       Vc. I   AP: 2.–4. ZZ entsprechend Colla-parte-Vermerk in T. 246
                                    noch *1º col Fag. I*, demnach eigentlich ♩♩ h–h; in der Edition
                                    entsprechend den übrigen Streichern als ♩ ‒ gesetzt

OVERTURE
to Goethe's Hermann and Dorothea

Robert Schumann
(1810–1856)
Op. 136

Mäßig ♩ = 126

Kleine Flöte

Große Flöte 1 2

Hoboe 1 2

Clarinette (A) 1 2

Fagott 1 2

Ventilhorn (E) 1 2

Ventiltrompete (E) 1 2

Trommel (hinter der Scene)*)

Violine I

Violine II

Bratsche

[getheilt]

Violoncell I II

Contrabaß

*) Anmerkung des Herausgebers: Die Angabe beruht auf der in der Vorbemerkung erwähnten ursprünglichen Bestimmung der Ouvertüre *zur Eröffnung eines dem* Goethe'schen *Gedichte nachgebildeten Singspiels. /* Editorial comment: The information is based on the identification of the overture originally mentioned in the preliminary comment as 'the opening of a singspiel' based on Goethe's poem *Hermann und Dorothea.*

Edited by Armin Koch

3

4

6